Para
Tatiane e Priscila.

© 2000 do texto por Nereide S. Santa Rosa
© 2000 da ilustração por Angelo Bonito
Callis Editora Ltda.
Todos os direitos reservados.
2ª edição, 2010
5ª reimpressão, 2023

Texto adequado às regras do novo Acordo Ortográfico da Língua Portuguesa

Coordenação editorial: Miriam Gabbai
Edição de texto: Helena B. Gomes Klimes
Revisão: Maristela Nóbrega e Ricardo N. Barreiros
Escaneamento e tratamento das imagens: Márcio Uva
Diagramação: Carlos Magno

CIP-BRASIL. CATALOGAÇÃO-NA-FONTE
SINDICATO NACIONAL DOS EDITORES DE LIVROS, RJ

S222v
2.ed.

Santa Rosa, Nereide Schilaro, 1953-Villa-Lobos / Nereide S. Santa Rosa e Angelo Bonito. – 2.ed. – São Paulo: Callis Ed., 2010.
   il.–(Crianças famosas)

ISBN 978-85-7416-377-2

1. Villa-Lobos, Heitor, 1887-1959 – Infância e juventude – Literatura infantojuvenil brasileira. I. Bonito, Angelo, 1962-. II. Título. III. Série.

93-0362
CDD-028.5
CDU: 087.5

Índices para catálogo sistemático
1. Literatura infantil 028.5
2. Músicos: Literatura infantojuvenil 028.5

ISBN: 978-85-7416-377-2

Impresso no Brasil

2023
Callis Editora Ltda.
Rua Oscar Freire, 379, 6º andar • 01426-001 • São Paulo • SP
Tel.: (11) 3068-5600 • Fax: (11) 3088-3133
www.callis.com.br • vendas@callis.com.br

Crianças Famosas

Villa-Lobos

Nereide S. Santa Rosa e Angelo Bonito

callis

Heitor era um menino muito esperto e inteligente. Morava com seus pais e seus sete irmãos em Laranjeiras, um bairro muito bonito do Rio de Janeiro. Sua casa ficava em cima do armazém de seu padrinho, o senhor Rangel.

Seu verdadeiro nome era Heitor, mas ele era carinhosamente chamado de Tuhu por sua família, pois gostava muito de imitar os sons que ouvia. Com o som *tu-hu* ele imitava o barulho do apito de um trem.

Ainda muito pequeno, quando tinha dois anos, Heitor teve a brilhante ideia de explorar o armazém de seu padrinho e descobrir o que estava guardado embaixo das escadas. Foi lá e descobriu vários objetos interessantes, cada um com uma torneirinha... Curioso, Heitor foi abrindo cada uma das torneirinhas que encontrava e, de repente, o chão ficou inundado com uma água avermelhada. Aqueles objetos interessantes eram barris de vinho, e os funcionários do armazém saíram loucos atrás de Heitor.

Um dia, o senhor Raul, pai de Heitor, teve de sair do Rio de Janeiro por uns tempos e ir com toda a família viver em Minas Gerais. Lá, Heitor começou a se interessar pelas músicas e ritmos caipiras, que nunca mais iria esquecer.

De volta ao Rio de Janeiro, Heitor, sempre que podia, fazia pipas coloridas e depois saía para empiná-las com seus amigos.

Na época das festas juninas, Heitor adorava correr pelas ruas, tentando pegar balões de diversos tamanhos e cores.

Em uma manhã ensolarada, Heitor encontrou uma linda cachorrinha, pequena e toda branquinha, e deu a ela o nome de Blanche. Todos os dias, perto da hora do almoço, Blanche ficava próxima ao portão, esperando Heitor chegar da escola. Ela dava pulos de alegria quando o via.

Heitor só gostava de fazer o que lhe dava vontade, mas isso nem sempre era possível.

Um dia seu pai lhe disse:

— Tuhu, não deixe de fazer sua lição.

Mas Heitor não o obedeceu.

Então o senhor Raul resolveu castigá-lo. Amarrou-o ao pé de uma mesa até que ele terminasse de fazer sua lição.

O senhor Raul trabalhava na Biblioteca Nacional. Era um homem muito culto, que gostava de ler e escrever. Mas o que mais lhe dava prazer era tocar seu violoncelo, e Heitor adorava ouvi-lo.

Naquela casa modesta, a música estava sempre presente! Quase todos os dias, até tarde da noite, um grupo de amigos do senhor Raul se reunia para tocar e fazer músicas. Heitor sempre ficava por perto, na maioria das vezes, escondido no vão da escada que levava para os quartos.

Um dia, o senhor Raul convidou Heitor para assistir ao ensaio de um concerto. Sua mãe, dona Noêmia, vestiu-o bem bonito, e lá se foi Heitor com seu pai assistir ao ensaio de uma verdadeira orquestra.

Heitor adorou, e seu pai começou a levá-lo a concertos e recitais sempre que podia.

Uma noite seu pai lhe disse:

— Tuhu, quero que você aprenda a tocar um instrumento. Vou lhe ensinar a tocar violoncelo.

— Mas, papai, o violoncelo é um instrumento muito grande, e eu sou muito pequeno. Só tenho seis anos!

Então, o senhor Raul pegou um pedaço de madeira, fino e comprido, e prendeu-o a uma viola, aumentando o seu tamanho.

— Toque-a como se fosse um verdadeiro violoncelo, Tuhu.

Tímido, Heitor obedeceu a seu pai.

Heitor aprendia rápido e, por isso, seu pai ficava cada dia mais exigente. Ele fazia perguntas dificílimas como: "Qual é o nome da nota que eu estou tocando?" ou "Que som é esse que vem lá de fora? O pio de um passarinho ou o chiado de uma roda de bonde?"

Heitor tinha de responder bem depressa e corretamente, senão, ai ai dele...

Um dia, depois que o pai saiu, e vendo que a mãe estava muito ocupada com os trabalhos da casa, Heitor foi até a sala e pegou o clarinete de seu pai. Começou a tocá-lo com dificuldade, pois era a primeira vez que tocava esse instrumento.

Heitor ficou tão distraído que nem percebeu o pai chegar.

— Tuhu, o que está fazendo? Quem lhe deu permissão para pegar meu clarinete?

Assustado, Heitor deixou o instrumento cair no chão.

— Tuhu, como castigo você terá de aprender a tocar clarinete hoje mesmo!

Assim, Heitor ficou o dia inteiro tocando sem parar, até que conseguiu tocar todas as notas. Isso surpreendeu muito o senhor Raul, pois conseguir tocar todas as notas nesse instrumento é trabalho para muito tempo.

Aos oito anos, Heitor já conhecia muito bem o compositor alemão Johann Sebastian Bach. Sua tia Zizinha, sempre que ia visitá-lo, tocava algumas das músicas de Bach para ele. Bastava ela chegar em sua casa que Heitor pedia:

— Tia Zizinha, toque aquelas músicas que eu gosto de ouvir...

E tia Zizinha já sabia quais eram aquelas músicas. Sentava-se ao piano e tocava as músicas de Bach.

Heitor adorava músicas de todos os tipos, desde músicas que ouvia nas salas de concerto até músicas cantadas e tocadas nas ruas da cidade.

Cada vez mais a música fazia parte de sua vida.
Quando alguém lhe perguntava:

— Heitor, o que você vai ser quando crescer?

Ele respondia sem hesitar:

— Vou ser músico!

Heitor aprendeu a tocar violão, a dar aulas de violoncelo, a tocar em conjuntos, a pesquisar, a estudar e a compor. Ele ficou conhecido não pelo seu apelido — Tuhu —, mas por seu verdadeiro nome: Heitor Villa-Lobos. Suas composições ficaram muito famosas e, até hoje, músicos do mundo todo gostam de tocá-las e cantá-las.

Heitor Villa-Lobos compôs concertos; óperas; sinfonias; peças para canto, piano, violoncelo, violão e violino e muito mais!

Entre suas composições mais famosas estão:

O Trenzinho do Caipira
(Bachianas Brasileiras Nº 2)

Cirandas e Cirandinhas

Carnaval das Crianças

Assobio a Jato

Nereide S. Santa Rosa é pedagoga, arte-educadora e autora de mais de cinquenta títulos. Publicou o seu primeiro livro infantojuvenil na Callis Editora em 1994 e, desde então, foi agraciada com diversos prêmios literários; entre eles, o Prêmio Jabuti, em 2004. Professora, orientadora técnica e coordenadora pedagógica, trabalhou na Secretaria Municipal de Educação da cidade de São Paulo.

Angelo Bonito desenha desde criança. Quando adolescente, trabalhou em agências de propaganda, tornando-se ilustrador. Com estúdio próprio, atua nos mercados publicitário, editorial, empresarial e de artes plásticas.